La marmotte
a disparu

Pour Louise,
qui connaît mieux que moi
la cabane dans l'arbre.
C. Féret-Fleury.

www.editions.flammarion.com

Dépôt légal : octobre 2004 – N° d'édition : 2493 – Imprimé en Espagne par Liberdùplex
ISBN : 2-08162493-1 – Loi n°49-956 du 16 juillet 1949 sur les publications destinées à la jeunesse.

Christine Féret-Fleury

Louis Alloing

La marmotte
a disparu

CHAPITRE 1

Drôles de vacances
pour Léo et Zoé !

– J'irai pas !

Vlan ! La porte de la cuisine a claqué sur un Léo rouge de colère, la mèche en bataille et la chemise boutonnée de travers. Et le somptueux bouquet de fleurs que moi, Zoé, neuf ans (son aînée à un an et un jour près) j'ai cueilli hier pour maman, vient de s'écraser sur le carrelage. Avec son vase, bien sûr. Qui va ramasser les morceaux ? Devinez. C'est toujours comme ça : Léo pique sa crise et je répare les dégâts.

Sauf qu'aujourd'hui, c'est vraiment grave.

Maman et moi, on se regarde. Les coins de sa bouche tremblent et ses beaux yeux bleus sont rouges comme ceux d'un lapin russe. Pauvre maman. Pauvre Léo. Et pauvre moi.

Je n'ai pas dit : « pauvre papa ». J'aurais peut-être dû. Mais papa n'est plus là, et je ne peux pas me blottir contre son épaule pour partager avec lui mon gros chagrin. Il a pris ce matin un avion pour le Japon, un pays où les gens ont une journée de congé, tous les ans, pour aller voir les cerisiers en fleurs. Enfin, il paraît. Ça me fait rêver ; j'imagine des pétales blancs qui tourbillonnent comme de la neige. De la neige qui sent bon. Est-ce que papa pense à nous en survolant les montagnes, les plaines et les vergers de cerisiers ? Je sais bien que oui, il me l'a dit. En même temps, je lui en veux un peu d'être parti comme ça, si vite.

Papa et maman ont décidé de se séparer. Ils nous l'ont annoncé très tranquillement, comme dans les livres, mais nous deux, Léo et moi, on a quand même eu l'impression que le ciel nous tombait sur la tête. Ils nous ont juré qu'ils allaient rester les meilleurs amis du monde et qu'ils ne se disputeraient jamais à notre sujet et que tout serait presque comme avant, etc… Pendant ce temps-là, je surveillais mon frère du coin de l'œil : j'attendais qu'il explose. C'était sûr, comme dit maman : Léo est un extraverti. Quand il est malheureux ou en colère – et ça arrive souvent – il aime bien en informer toute la planète. Alors il crie, il hurle, il s'égosille, il menace, il tempête. Mais là, il ne bougeait pas un cil. Je me suis dit : « Ouh, là ! ça ne va pas durer ! »

Ça n'a pas duré.

Il a quand même laissé papa expliquer que son entreprise l'envoyait au Japon pour un an, peut-être deux, que c'était sans doute la meilleure solution mais qu'il viendrait nous voir à Noël et que nous, on le rejoindrait pour les grandes vacances et qu'on ferait du bateau dans la baie de Yokohama et de l'escalade sur le mont Fuji... Léo a aussi laissé maman le serrer dans ses bras et l'appeler son grand garçon raisonnable, il m'a laissée jouer toute la soirée avec sa console, il a même laissé John Wayne, le chat, lui pétrir le ventre alors que d'habitude il a horreur de ça. Je n'en revenais pas.

Mais ce matin...

Ce qui a mis le feu aux poudres, c'est la ferme. Je vous explique : avant de se marier, maman vivait avec ses parents. Normal. Mais Padou et Mamita (c'est comme ça qu'on les appelle, pour Douglas et Tabitha, drôles de noms !) sont des grands-parents pas comme les autres : ils sont vétérinaires. D'origine anglaise tous les deux, ils ont racheté une vieille ferme dans les Alpes de Haute-Provence et l'ont retapée pour y installer leur clinique, quand maman avait mon âge.

– La Haute-Combe est un endroit magique, dit maman. Mais je ne peux pas vous expliquer pourquoi. Ces choses-là, ça se sent. Vous verrez !

Padou et Mamita, on ne les connaît pas vraiment, Léo et moi. Depuis qu'on vit aux États-Unis (toujours à cause du boulot de papa), ils ne sont venus nous voir qu'une seule fois, il y a trois ou quatre ans, je ne sais plus très bien. J'étais toute petite, et je me souviens seulement des grandes mains fortes de Padou et du parfum de Mamita. Et aussi d'un châle très joli qu'elle portait le soir. Il paraît que j'ai passé des heures à jouer avec ses franges de soie noire.

Quand maman était plus jeune, elle avait commencé des études pour devenir, elle aussi, vétérinaire. Et puis il y a eu papa, l'amour, le mariage... et nous ! Il paraît que ça occupe bien, les enfants. C'est elle qui le dit.

Maintenant, maman a décidé de rejoindre ses parents en France. Avec nous.

– Il faut que je gagne ma vie, nous a-t-elle dit. Même si je n'ai pas terminé mes études, je peux être une bonne assistante pour Padou, m'occuper du secrétariat de la clinique, par exemple. Nous partons la semaine prochaine ! Pour l'école, on verra une fois là-bas. Ça vous fera des vacances supplémentaires.

C'est là que Léo est entré en scène. Il est devenu cramoisi, a ouvert la bouche… et s'est mis à hurler, exactement comme je l'avais prévu. Je ne répèterai pas tout ce qu'il a dit, mais le message était clair : il ne voulait pas quitter sa maison. Il ne voulait pas quitter son école, ni ses copains, ni son marchand de glaces perso, ni son chat. Bref : il ne voulait pas partir.

Et rien ne le ferait changer d'avis.

CHAPITRE 2

Turbulences
en plein ciel

« *Les passagers du vol n° 6308 à destination de Marseille sont attendus porte T. Embarquement immédiat.* »

– Léo ! implore maman. Sois gentil ! Nous allons rater l'avion !

– Ça tombe bien, c'est exactement ça que je veux, rétorque mon frère.

Léo est assis par terre dans le hall de l'aéroport ; pendant que maman et moi, on vérifiait une dernière fois le contenu de nos sacs, il a enlevé ses bretelles et il s'est attaché à une barrière métallique. En faisant un nœud très, très serré, que maman n'arrive pas à défaire. Au bord des larmes, elle s'escrime, sans succès :

– Léo, c'est ridicule ! Tu sais très bien que nous prendrons un autre avion. Tout ce que tu auras gagné, c'est quelques heures. Et je ne pourrai même pas me faire rembourser les billets. Tu as une petite idée du prix de trois billets Boston-Marseille ?

– Puis-je vous aider, Madame ?

Je lève les yeux. Un ange ? Non, un steward en uniforme bleu marine. Grand, brun, souriant. Des yeux bleus qui me font un coup au cœur, à moi, Zoé, neuf ans. Il se penche vers Léo, jette un coup d'œil sur les bretelles entortillées, se relève et dit :

– Je crois que j'ai la solution à ce petit problème.

Et hop ! Le héros sort un canif de sa poche. En deux temps trois mouvements, le nœud est coupé. Mais Léo est bien décidé à ne pas se laisser faire : il s'accroche à la barrière et hurle à pleins poumons (et en anglais – nous sommes bilingues, tous les deux) :

– Je bougerai pas d'ici ! Je partirai pas !

Cette fois, maman fond en larmes. Moi, je ne sais plus si je dois rire ou pleurer. Des passagers se retournent, nous dévisagent. La honte. En même temps, Léo est plutôt drôle comme ça, cramponné à sa barrière, avec ses baskets délacées et son pantalon trop grand. Il fait une de ces grimaces ! Je savais qu'il était capable de tout, mais là, je dois dire, il m'épate.

– Bon, décide le steward. Je vois qu'il va falloir employer les grands moyens.

Il attrape Léo, le soulève sans effort et le pose, comme un paquet, sur son épaule. Un paquet braillant et gesticulant, bien sûr.

– Suivez-moi ! nous lance-t-il.

Nous voilà partis, au galop, vers la porte T, devant laquelle une hôtesse s'impatiente. On n'attend plus que nous. Je n'ai même pas le temps de me retourner pour dire au revoir à l'Amérique...

Dans l'avion, je me mets à pleurer pour de bon. Un vrai déluge. Heureusement, Léo, épuisé par ses exploits, s'est endormi. Maman réussit à me prendre dans ses bras sans défaire sa ceinture (il faut la garder à cause des turbulences, c'est le pilote qui l'a annoncé tout à l'heure) et me caresse les cheveux en silence. C'est doux. Je suis contente qu'elle ne me pose pas de questions, et qu'elle ne me dise pas non plus des choses du genre : « Tu vas voir, tout ira bien, on sera très heureux, vous allez bien vous amuser. » Je suis triste, moi aussi, de quitter mon école, mon chat, mes copains et mon marchand de glaces. Même si je ne le crie pas. C'est bien que maman l'ait compris...

CHAPITRE 3

Une ferme
bien cachée

La première chose que je vois en descendant de l'avion à Marseille – c'est-à-dire au bout des kilomètres de couloirs qu'il faut parcourir au pas de course pour récupérer ses bagages – c'est la tête de Padou. Il est si grand qu'il dépasse de la foule et comme, en plus, il agite les deux bras, je ne pouvais pas le rater.

Il se penche et hop, m'élève jusqu'à son visage rieur.

– Ma princesse ! Comme tu es belle ! Je peux t'embrasser ?

J'ouvre la bouche, un peu comme un poisson : je ne sais pas trop quoi dire. C'est fou ce qu'il a l'air jeune, ce grand-père-là ! Il est mince, bronzé, il porte un jean et un t-shirt, il n'a presque pas de cheveux blancs et, quand il sourit, sa joue droite se creuse d'une fossette, exactement comme la mienne.

– Et toi, camarade ? Est-ce que tu as d'aussi jolis yeux que ta sœur ?

Il me repose à terre et, après avoir serré maman dans ses bras, il plie ses longues jambes pour se mettre à la hauteur de Léo qui fixe obstinément le bout de ses baskets.

– Qui tu es, toi ? interroge mon frère d'un ton hargneux.

– Ton grand-père, mon bonhomme.

Léo relève la tête et dévisage Padou un bon moment.

– T'es pas mon grand-père, lâche-t-il enfin avec dédain. Un grand-père, c'est vieux. Avec une barbe blanche et une canne. Si tu en es un, pourquoi tu fais semblant d'être jeune ?

Là, Padou éclate de rire.

– Je ne fais PAS semblant ! Je t'assure que je me sens très jeune !

Léo lui tourne le dos et s'absorbe dans la contemplation du tapis à bagages qui vient de se mettre en marche. Des valises et des sacs de toutes tailles et de toutes couleurs commencent à défiler devant nous.

– On ne va pas trop insister pour le moment, dit Padou à maman en lui posant la main sur l'épaule. Tu vois tes valises ?

– Oui, là-bas, répond-elle d'une toute petite voix.

Je vois bien que l'attitude de Léo lui fait de la peine, et qu'elle ne sait pas si elle doit le gronder ou le cajoler pour lui arracher un sourire. Moi qui connais bien mon frère, je sais que Padou a raison : quand Léo est de cette humeur-là, il vaut mieux le laisser tranquille. En général, ça passe tout seul. En général...

Dans la voiture, je colle mon nez à la vitre pour ne rien perdre du spectacle. Depuis que je suis toute petite, maman me parle de la Haute-Combe, la ferme de ses parents. J'ai fini par imaginer un paradis vert et silencieux, visité par les aigles qui descendent de la montagne toute proche, les marmottes et les isards. L'hiver, elle allait à l'école à skis... Je m'attendais presque à entrer, dès ma descente d'avion, dans un paysage de carte de Noël, avec des chalets de bois, des sapins partout et des bonshommes de neige en plein été.

Mais la voiture s'engage sur l'autoroute, direction Sisteron. Il fait beau, le ciel d'un bleu éclatant pèse sur une plaine parsemée de rochers où ne poussent que des pins et des chênes-verts tordus par le vent. Je suis un peu déçue : où sont les montagnes, les vaches et les pistes de ski ? Je fais part de mes réflexions à maman qui sourit et tire gentiment sur le bout de ma queue de cheval :

– Patience ! Il y en a bien pour deux heures encore...

Nous suivons à présent une route bordée de vergers. Padou conduit à une allure tranquille, la vitre baissée. De temps en temps, il me fait un clin d'œil dans le rétroviseur. Soudain, un grand mur gris émerge des feuillages. Je le désigne du doigt :

– Qu'est-ce que c'est ?

– Le barrage de Serre-Ponçon, explique Padou.

Dans quelques minutes, tu vas apercevoir le lac. L'été, on peut y faire du canoë, de la voile... on ira, si tu veux. Mais je suis plus à mon aise en forêt. J'aime observer les animaux en liberté. Ils sont faits pour ça, pour la vie libre et sauvage. Pas pour s'ennuyer dans un salon ou dans un enclos.

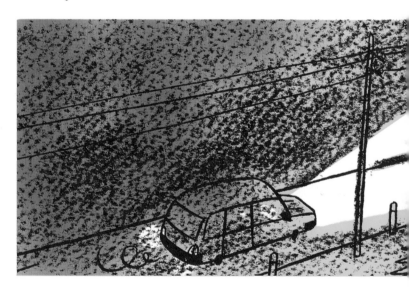

– N'importe quoi, dit Léo.

Je rentre la tête dans les épaules. Depuis que nous avons quitté l'aéroport, mon frère n'a pas desserré les dents. Assis à côté de moi, il s'est vissé à son jeu vidéo et n'a même pas jeté un coup d'œil au-dehors. J'aurais préféré qu'il continue à se taire. Mais Padou fait comme s'il n'avait pas entendu.

La nuit tombe, les phares de la voiture dansent sur le bas-côté, éclairant des kilomètres de grillage gondolé.

– C'est pour retenir les rochers qui pourraient tomber sur la route, me dit maman. Nous sommes en montagne !

Des virages, encore des virages. Je commence à

avoir mal au cœur.

Quelques minutes plus tard, après un tournant plus serré que les autres, Padou freine dans un crissement de pneus.

– Et voilà la Haute-Combe ! annonce-t-il d'une voix joyeuse.

J'écarquille les yeux. Je ne vois rien... ah ! si. Une colline toute noire, deux rangées d'arbres et, droit devant nous, une sorte de grand hangar recouvert de tôle ondulée. Une petite lumière brille à l'unique fenêtre. Les murs sont en bois, peints en vert – une couleur sombre, en tout cas – la peinture s'écaille, les gouttières ont l'air rouillées, de vieux outils traînent devant la porte.

C'est ça, la Haute-Combe ?

Horrifiée, je me tourne vers Léo qui me gratifie d'un sourire narquois, genre : « Je te l'avais bien dit, pauvre gourde. Qui avait raison ? »

Je commence à penser que c'était lui.

CHAPITRE 4

Surprise !

Je sors de la voiture en trébuchant. Il fait noir comme dans un four. Pas très rassurée, je m'accroche à la main de maman comme une môme de maternelle. Tant pis pour ma dignité de fille de neuf ans. Mes pieds s'enfoncent dans l'herbe ; une légère odeur de paille fraîche flotte dans l'air. Mais pourquoi maman me pousse-t-elle vers la gauche ? Il n'y a rien, par là, qu'un grand champ désert que j'imagine envahi par les orties, les ronces et je ne sais quoi encore. Peut-être des serpents, des chauve-souris… Brrr !

– Avance encore un peu, vers l'escalier…

C'est la voix de Padou.

L'escalier ? Quel escalier ? Il se moque de moi, ou quoi ? Je fais quelques pas à l'aveuglette. Soudain, je trébuche sur quelque chose qui ressemble à un tronc d'arbre.

– Aïe !

– N'aie pas peur, Zoé. Je vais t'éclairer.

Le rond jaune d'une lampe électrique danse à mes pieds. Pas de doute : il y a bien un escalier. Quelques marches qui mènent à une allée dallée.

– Mais… je croyais que la maison… euh…

Je fais un geste vers le hangar. Padou et maman éclatent de rire.

– Tu veux dormir là ? demande mon grand-père. Bonne idée ! Tu seras à pied d'œuvre, demain matin, pour nourrir les canetons, les martinets et Misty. Mais je crois que tu préféreras ta chambre à la Haute-Combe.

Je ne comprends plus rien. Qui est Misty ? Et la maison ? Où se trouve-t-elle ?

Nous suivons l'allée. La pente est raide, je ne vois toujours rien. Combien de temps allons-nous continuer ainsi ?

On s'arrête. J'entends le bruit d'une porte qui s'ouvre tout doucement. Un bras m'entoure les épaules, et…

– Surprise !!!

Toutes les lumières viennent de s'allumer d'un coup. Je bats des paupières, éblouie.

Nous sommes dans un petit vestibule dallé, qui s'ouvre sur une grande cuisine où trône un énorme fourneau noir, avec des poignées de cuivre étincelantes. La table est mise. Et, debout au milieu de la pièce, il y a…

– Mamita !

J'ai tout de suite reconnu le châle à franges de soie. Une seconde plus tard, je suis dans les bras de ma grand-mère : elle sent bon, elle a la peau douce, et elle aussi paraît terriblement jeune. Je chasse définitivement de ma tête l'image d'une mamie à chignon, lunettes et tablier bleu, en train de tricoter et de faire des gâteaux. Apparemment, ça n'existe plus que dans les contes et sur les pots de yaourt, cette espèce-là.

– Ne me serre pas si fort, ma chérie ! Tu m'étouffes !

J'émerge de ses bras, un peu gênée. Elle me sourit. Elle a les cheveux brillants, un long collier, des bracelets qui tintent : elle est drôlement belle ! Maman et Léo se sont approchés à leur tour, mais mon frère a l'air de vouloir se confondre avec les murs : les mains dans les poches, il rentre la tête dans les épaules et sa mèche lui cache la moitié du visage.

– Bonjour, Léo, dit Mamita de sa voix chantante.

Silence. Mais il en faut davantage, apparemment, pour que Mamita se mette en colère.

– Asseyez-vous là, mes chéris, roucoule-t-elle. Vous devez mourir de faim.

Sur la table, il y a une quiche aux légumes, des bols de crudités et un grand saladier rempli de mûres, à côté d'une jatte de fromage blanc. Je me régale. Mamita s'est assise tout près de maman, et elle la regarde comme si elle ne l'avait pas vue depuis des siècles. Maman sourit, mais ses yeux brillent un peu trop fort. En passant derrière elle avec la corbeille de pain, Padou pose un baiser sur le haut de sa tête.

Pourquoi faut-il que Léo gâche tout, une fois de plus ? Il repousse son assiette avec fracas et déclare :

– J'aime pas ça.

– Et qu'est-ce que tu aimes, Léo ? demande Mamita, patiente (trop patiente, si vous voulez mon avis).

– Les pizzas. Les hamburgers. Pas ces trucs-là.

Cette fois, maman intervient :

– Ne l'écoute pas ! Là, il exagère... À la maison, il mangeait aussi de la cuisine française... et il adorait ça, n'est-ce pas, Léo ?

Mon frère, buté, serre les dents et ne répond pas. Mamita s'écrie d'une voix joyeuse.

– Moi aussi, j'adore les pizzas et surtout les hamburgers. Les gros, avec beaucoup de fromage. Si tu veux, je t'en ferai demain.

– Ils seront pas bons, rétorque Léo. Et je les mangerai pas.

Là-dessus, il nous tourne le dos et va se planter devant la cheminée.

Et voilà, ce qui devait arriver arrive : maman pleure. Je vais le tuer ! Mais qu'est-ce que j'ai fait pour récolter un frère pareil ?

CHAPITRE 5

Encore
des surprises !

– Léo et Zoé, petit-déjeuner !

J'ouvre les yeux. Où suis-je ? Je n'ai jamais vu ce plafond recouvert de lattes de bois couleur miel. Je me redresse sur mes coudes et, tout à coup, je me souviens : je suis à la Haute-Combe. Et cette chambre aux rideaux bleus, c'est la mienne, ou plutôt la nôtre. Dans le lit voisin, sous la couette à carreaux, il y a une grosse bosse : Léo.

Je bondis sur mes pieds et je cours à la fenêtre, que j'ouvre toute grande.

La montagne est devant moi.

Immense, avec ses sapins d'un vert sombre et ses pics enneigés. C'est tellement beau que j'en ai le souffle coupé. En contrebas, sur ma droite, j'aperçois le lac qui brille comme un bijou d'argent. Devant la maison, il y a un grand pré en pente, une fontaine, un arbre solitaire, et…

Je me frotte les yeux : mais non, je ne rêve pas. Dans l'arbre se niche une toute petite cabane. Juste à ma taille. Ou à celle de Léo.

– Léo ! Réveille-toi ! Viens voir !

Je secoue mon frère, qui grogne et se retourne, l'oreiller sur la tête.

– Laisse-moi dormir.

– Léo, il y a une cabane dans le jardin ! C'est génial ! Tu crois qu'elle est pour nous ?

Léo se redresse et me foudroie du regard.

– Je m'en fiche.

– Mais…

– On n'est pas chez nous, ici. Tout ce que je veux, c'est rentrer à la maison. Alors ne me parle pas de cabane. Tu captes, ou non ?

Je recule d'un pas. Jamais mon frère ne m'a parlé sur ce ton. Il me tourne le dos et replonge sous la couette. Et je reste là, comme une idiote. Je voudrais bien l'aider, mais je sens qu'il n'en a pas envie.

Je m'habille en silence. Dans la cuisine, je retrouve maman, qui boit son café assise sur l'appui de la fenêtre.

– Tu as faim, ma puce ? Il y a des brioches, du miel des abeilles de Mamita, de la confiture de myrtilles, et... Ton frère ne descend pas ?

– Euh... non.

– Ah.

C'est tout ce qu'elle dit, mais je vois une ride se dessiner sur son front. Elle pose sa tasse et sort de la pièce. Cinq minutes plus tard, elle pousse la porte, suivie de Léo. À la tête de mon frère, je devine que ça a dû chauffer. Je replonge le nez dans mon bol de chocolat. J'en ai assez de me faire crier dessus. Fini, je ne m'occupe plus des problèmes de ce garçon ! Qu'il se débrouille ! Moi, je vais explorer la Haute-Combe...

Après le petit-déjeuner, Padou nous emmène visiter le cabinet vétérinaire. Léo traîne les pieds derrière : maman l'a expédié presque de force à notre suite, et il nous fait son grand numéro de sourd, muet et aveugle.

L'entrée de la clinique est tapissée, du sol au plafond, de photos d'animaux : des chats, des chiens, des chevaux, des lapins...

– Ce sont d'anciens patients ! dit Padou en riant. Souvent, quand ils sont guéris, leurs propriétaires m'envoient une photo pour me montrer à quel point leurs compagnons vont bien !

Il nous ouvre la porte d'une salle toute blanche, meublée seulement d'une table en métal recouverte de caoutchouc.

– C'est la salle d'opération, dit-il. Je range mes instruments dans cette armoire. À côté, il y a le cabinet de Mamita : il est aménagé de la même façon. Et là...

Nous entrons dans une petite pièce vide, à part un amoncellement de cartons dans un coin.

– Et là, il n'y a rien ! dit Léo d'un ton acide. Comme vous pouvez le voir, messieurs-dames... Très intéressant, vraiment !

– Nous gardions ici les animaux sauvages qui avaient besoin d'être surveillés pendant quelques jours, continue Padou sans se troubler. Des martinets blessés, une portée de bébés hérissons, un blaireau avec une patte cassée... Les promeneurs qui les trouvent nous les apportent, car ils ne savent pas les soigner. Mais ce local est vite devenu trop petit. Voilà pourquoi nous sommes en train de faire des travaux dans le hangar que vous avez vu en arrivant. Ils ne sont pas terminés, mais tous nos pensionnaires ont déjà déménagé. Vous voulez les voir ?

Je saute de joie.

– Oui ! On y va ?

– On y va ! répond Padou en me caressant les cheveux. Et... j'ai bien vu que tu étais intriguée, hier soir... tu vas enfin faire la connaissance de Misty ! Misty qui nous prépare une grande surprise pour bientôt...

Je ne tiens plus en place. Une surprise ? Laquelle ?

Misty

En contournant le hangar, je remarque trois grands arceaux de fer posés contre le mur de planches.

– Et ça, ça sert à quoi ? je demande à Padou.

– À construire notre première volière. Il nous en faudra plusieurs, de dimensions différentes.

– Pourquoi ?

– Parce qu'on ne peut pas mettre un aigle dans la même volière qu'une chouette chevêche... ou une buse. Tu imagines la bagarre ? Et puis, les oiseaux ont besoin de place. L'année dernière, nous avons recueilli un hibou petit-duc qui avait une aile cassée. Je lui ai donné les premiers soins, mais ensuite j'ai dû le conduire au centre de soins de la faune sauvage le plus proche, pour qu'il puisse se rééduquer. Réapprendre à voler, précise-t-il devant mon air ahuri. Pour ça, il faut une très grande volière... Sur ces arceaux, nous tendrons un filet en nylon. Surtout pas de grillage : les oiseaux risqueraient de se blesser à nouveau...

Tout en parlant, il pousse la porte du hangar. Un jeune homme en blouse blanche, qui est en train de poser une lampe à côté d'une grande caisse, se retourne.

– Bonjour, Thomas ! Comment va ta petite famille aujourd'hui ?

– Bien, répond-il avec un grand sourire. Je viens de les installer sous infra-rouge... venez voir !

Je m'approche de la caisse. Au passage, Padou fait les présentations :

– Zoé, Léo, voici Thomas, mon assistant. Je l'ai engagé pour s'occuper du refuge, car la clinique vétérinaire occupe presque tout mon temps... Avant, il travaillait comme garde dans un parc naturel.

Je m'écrie :

– Oh ! Alors vous aviez un cheval ?

– Non, répond-il. Un 4X4. Et mes deux jambes.

Avec ça, on peut passer partout ! Désolé de te décevoir…

Il déplace un peu la lampe à infra-rouge. Je me hausse sur la pointe des pieds : six canetons piaillent autour d'une coupelle remplie d'eau.

– Ils étaient tout mouillés et à moitié morts de froid, dit Thomas. La mère a dû être tuée ou blessée ; nous ne l'avons pas retrouvée. Les infra-rouge, c'est pour les sécher et les réchauffer…

Je frôle du doigt la tête d'un petit canard particulièrement aventureux : il n'hésite pas à escalader le rebord de la coupelle pour patauger à son aise.

– C'est doux !

– Celui-là, je l'appelle Bandit. Il est prêt à tout pour avoir un peu plus à manger que les autres !

– Et lui, là, dans le coin ?

– C'est le plus petit de la couvée, tu vois ? Je le nourris à part, sinon ses frères et sœurs lui prendraient tout...

– Comment s'appelle-t-il ?

Thomas passe ses doigts écartés dans sa tignasse rousse.

– Mmm... Je n'y ai pas encore pensé. Tu veux être sa marraine ?

– Oh oui !

– Alors il faut que tu lui trouves un nom.

Je réfléchis. Le caneton cache son bec sous son aile ; il a l'air...

– J'ai trouvé ! Je vais l'appeler Timide, tu sais, comme le nain...

– ... de Blanche-Neige, complète Thomas. Bonne idée, Zoé !

Il passe à une autre cage, l'ouvre, y plonge la main en murmurant des mots apaisants, et en retire... une drôle de petite bête au pelage roux et aux oreilles minuscules. Elle se débat, montre des dents blanches et aiguës.

– Qu'est-ce que c'est ?

– Ça, c'est Colette. Colette la belette. Attention ! Elle mord, elle griffe... c'est un prédateur : elle se nourrit de tous les mammifères plus petits qu'elle. Les campagnols, les mulots, les musaraignes... Tu vois, elle a une patte cassée. Je lui ai fait une attelle, et bientôt, elle trottera comme avant. Gare à vous, les souris !

Bon, tout ça est très intéressant, mais... et la surprise ? J'ose enfin poser la question qui me brûle les lèvres :

– Et Misty ?

– Ah ! Ton grand-père a vendu la mèche !

– Pas tout à fait, dit Padou. Misty est par là, les enfants. Venez... mais chut ! Pas de bruit, pas de mouvement brusque !

Il m'entraîne vers une petite porte fermée. Léo nous emboîte le pas, toujours muet comme une carpe. Pourtant, à l'instant, j'ai bien vu qu'il aurait aimé, lui aussi, chercher un nom pour l'un des canetons. Pourquoi s'obstine-t-il à faire la tête ? C'est trop bête, à la fin !

Nous entrons. Tout est noir. Si noir que j'ai du mal à retenir une exclamation de surprise.

– Chut, fait Padou. Regardez.

Peu à peu, mes yeux s'habituent à l'obscurité. Je vois que la petite pièce est partagée en deux par une cloison dans laquelle s'ouvre une large ouverture vitrée. Derrière la vitre, il y a un gros tas de foin, de mousse et de terre. Et dans ce nid douillet, roulée en boule, il y a... une marmotte ! J'en ai vu une fois dans un parc animalier, avec l'école. Elle est trop belle !

– Voilà Misty, chuchote Padou.

CHAPITRE 7

Le réveil
de la marmotte

J e chuchote à mon tour :

– Elle dort ?

– Non, souffle Thomas. Elle se prépare.

– À quoi ?

Un sourire malicieux illumine son visage couvert de taches de rousseur.

– Elle va avoir des bébés !

– C'est Thomas qui l'a trouvée, murmure Padou. C'était la semaine dernière, au bord d'une petite route. Elle avait dû être heurtée par une voiture. Il l'a amenée ici pour que nous puissions l'examiner. En fait, elle n'avait rien de cassé, et pas de blessures internes non plus. Mais elle a eu une belle peur ! Elle était complètement sonnée !

– Quand nous avons découvert que c'était une femelle et qu'elle attendait des petits, enchaîne

Thomas, nous avons compris qu'il faudrait la garder un bon moment. En effet, j'ignorais où se trouvait son terrier…

– Et alors ? coupe Léo. Y avait qu'à la mettre dans un autre !

Ouah ! Miracle ! Mon frère a parlé ! Bien sûr, son ton est plutôt agressif, genre « Si j'avais été à votre place, j'aurais su quoi faire, MOI. », mais il y a du progrès.

Thomas répond très sérieusement, sans se fâcher :

– Les autres marmottes ne l'auraient pas laissée entrer. Elles ont un sens aigu de « leur » territoire et n'admettent pas facilement ce qui vient d'ailleurs… comme certains humains.

Bien envoyé ! Léo fronce les sourcils et se remet à scruter ses lacets de baskets, comme si c'était la chose la plus passionnante du monde.

– Le problème, continue Thomas, c'est que, pour mettre bas, la marmotte se cache tout au fond de son terrier, dont elle bouche l'entrée avec un long tube de terre et de foin. Alors nous avons reconstitué ici une salle d'accouchement spéciale marmottes !

– Un drôle de boulot ! renchérit Padou. Il fallait de la terre, du foin…

– Et un moyen de chauffage, car les bébés auront besoin d'une température de 44 degrés ! Nous avons installé un radiateur…

– Comme Misty allait boucher toutes les issues, on s'est demandé comment on la soignerait s'il y avait un problème… et c'est alors que Thomas a eu l'idée géniale de la vitre. Cette pièce servait autrefois à ranger des outils ; on a juste un peu bricolé le mur.

– Un peu ! répète Thomas en faisant la grimace. J'en ai encore des crampes dans les épaules !

Je colle mon nez contre la vitre. Misty dort toujours ; sa queue touffue frôle le bout de son museau. Mais soudain, un frisson parcourt son pelage et elle ouvre deux petits yeux vifs, noirs comme des myrtilles bien mûres.

– Ah, constate Thomas, c'est l'heure du

déjeuner ! Cette marmotte a une pendule dans le ventre…

Il se penche et prend une petite caisse posée dans un coin. Dedans, il y a des carottes crues coupées en morceaux, des trognons de chou, des feuilles de salade, des petits épis de maïs.

– C'est tout ? demande Léo, toujours aussi hargneux.

– Oui, c'est tout. Il ne faut jamais donner de sucre, de bonbons ou de barres de céréales à une marmotte. Oh, elle adorera ça… mais elle sera malade. Elle n'est pas faite pour grignoter des cochonneries toute la journée, elle ! D'ailleurs, nous non plus… Tu veux lui donner à manger ?

Léo, qui ouvrait la bouche pour protester, est coupé dans son élan. Presque timidement, il tend la main vers un beau trognon de chou.

– Je vais ouvrir la vitre, murmure Thomas. Attention à ses dents ! Elle pourrait te croquer les doigts sans le faire exprès.

Misty s'est dressée sur ses pattes arrière ; la tête penchée, elle semble nous écouter.

Thomas a fait glisser la vitre. Léo avance la main avec prudence…

Hop ! La marmotte a saisi le chou avec ses pattes avant, qui ressemblent à de petites mains, et elle le grignote comme un écureuil. C'est trop mignon !

C'est mon tour, à présent. J'offre à Misty un bout de carotte, puis une belle feuille de salade. Elle dévore tout, et pousse de petits cris quand la suite ne vient pas assez vite… Je m'amuse tellement que j'oublie complètement mon frère. Il a reculé de quelques pas, je ne le vois plus.

Pourtant, quand nous sortons du « terrier » de

Misty, le repas terminé, c'est lui que je cherche des yeux. Il a forcément aimé ça ! Cette fois, c'est gagné : il va retrouver le sourire, admettre que la Haute-Combe est un endroit formidable, et...

Et rien.
Léo n'est plus là.

CHAPITRE 8

Disparition

– **L**éo ! Où es-tu ?

En courant, je fais le tour de la maison. Je le retrouve au fond du jardin, derrière le bûcher. Il donne de grands coups de pied dans un rondin.

Là, j'éclate :

– Mais enfin, qu'est-ce que tu as ?

– Fiche-moi la paix.

Il me tourne le dos et s'éloigne à grands pas.

– Laisse-le, Zoé.

Thomas, qui s'est approché sans bruit, pose une main sur mon épaule.

– Il a besoin d'être seul, ajoute-t-il.

Et moi, alors ? Il s'en fiche complètement ? Sans mon frère, je me sens comme un bras gauche qui a perdu son bras droit... ou le contraire. Comme un béret de marin qui a perdu son pompon. Comme un cow-boy sans cheval, une guitare sans cordes, un hamburger sans Ketchup. Moi, j'ai besoin d'être avec lui. Après tout, il n'est pas tout seul à avoir du chagrin, ni à regretter notre maison, ses murs de bois peints en blanc, son minuscule jardin, sa barrière qui nous arrivait à la taille – et John Wayne le chat, et les balades en vélo avec papa…

Je voudrais… Je voudrais que Léo et moi, on se parle. Qu'il ne me traite pas comme si soudain j'étais devenue sa pire ennemie. Qu'on se roule en boule sous la couette, histoire d'être au chaud et de pleurer un bon coup. Je suis sûre qu'après, ça irait mieux.

En étouffant un gros soupir, je suis Thomas jusqu'au refuge. Il a encore plein de choses à faire, me dit-il. Est-ce que je veux bien l'aider ? Je fais oui de la tête. Il est gentil, il veut m'occuper. Et puis, j'aime bien sa drôle de figure, ses taches de rousseur et ses longues, longues jambes. On dirait qu'il va se casser en deux, mais non, il reste en un seul morceau.

Dans le hangar, il fait sombre. Je reste immobile quelques secondes. Là-bas, c'est la caisse des bébés canards. J'aperçois la lueur rougeâtre de la lampe… et la cage de Colette. Je passe à bonne distance de cette dernière : je me souviens trop bien de ses dents pointues.

Je m'approche de la petite porte derrière laquelle se trouve le « terrier » de Misty. Il faut la déranger le moins souvent possible nous a dit Thomas. Elle

a besoin de calme, de silence. Bientôt… J'ai hâte de voir les petits marmottons !

– Qui a laissé cette porte ouverte ?

Thomas semble agacé. Il se reprend aussitôt et me sourit.

– En fait, c'est moi ! J'ai dû oublier… Viens, on va voir si Misty va bien, depuis tout à l'heure. Après tu m'aideras à nettoyer la maison des canards et après…

Il pose un doigt sur ses lèvres et nous entrons sur la pointe des pieds.

Je m'approche de la vitre. Il y a quelque chose de bizarre… elle aussi est restée ouverte.

– Flûte ! chuchote Thomas. Décidément, je n'ai pas de tête, aujourd'hui !

Il se penche et pousse un cri étranglé.

– Oh non !

Le terrier est vide.

Misty a disparu.

CHAPITRE 9

Angoisses

Depuis des heures, tout le monde est sur le pied de guerre : moi, Thomas, maman, sans oublier Padou et Mamita... et même Léo, qui a daigné sortir de sa bouderie pour participer aux recherches. Nous avons oublié de déjeuner. La ferme a été fouillée de fond en comble, ainsi que le jardin, le bûcher et la buanderie. Sans résultat. Misty reste introuvable. Et l'après-midi tire déjà à sa fin.

– Zut, lâche Thomas en entrant dans la cuisine où maman sert de la citronnade et des biscuits. C'est bien embêtant. Elle peut avoir ses petits d'un jour à l'autre... Elle a dû trouver un trou, un abri quelconque, mais après ? Elle est trop loin de sa colonie... si nous ne la retrouvons pas, elle ne pourra pas survivre.

Comme je suis assise à côté de Léo, je remarque qu'il est devenu tout pâle. Mais il ne dit rien et avale d'un trait le contenu de son verre de citronnade.

– Ne bois pas si vite, Léo, intervient maman. Tu vas avoir mal au ventre.

Mon frère lève les yeux au ciel, pose brusquement son verre sur la table et quitte aussitôt la pièce.

– Allons bon, soupire maman. Je l'ai encore vexé. Je ne sais plus comment lui parler ! C'est ma faute, je n'aurais pas dû lui imposer ce retour en France… Je me demande si… Est-ce que tu crois que je devrais rentrer ? Essayer de trouver du travail là-bas ?

– Ne culpabilise pas, dit Mamita en lui caressant les cheveux. Tu as fait ce que tu pensais devoir faire. La vie n'est pas toujours facile, pour les grands comme pour les petits. Léo est en train de l'apprendre, mais ça ne lui plaît pas. Alors il essaie de se faire remarquer par tous les moyens… ça passera, tu verras.

Sans bruit, je me lève et je m'approche de la porte de la cuisine, qui ouvre sur le jardin. Léo est en train de traverser en courant le grand pré qui s'étend devant la maison. Où peut-il bien aller ? On dirait qu'il a tous les monstres d'Halloween à ses trousses…

Derrière moi, les grands discutent avec animation. Ils ne font plus attention à moi. À mon tour, je pousse la porte et je fais quelques pas dehors, jusqu'au grand noyer. Le soleil se couche sur les montagnes ; pour quelques instants encore, le pré, la cabane dans l'arbre et les vieux murs de la Haute-Combe sont baignés d'une lumière dorée. On dirait du miel liquide.

Dire que nous sommes arrivés hier seulement ! Il s'est passé tellement de choses que j'ai l'impression de connaître cet endroit depuis toujours. Je sais déjà que je n'aimerais pas repartir. Est-ce que maman va vouloir rentrer aux États-Unis, maintenant ? Pour faire plaisir à Léo ? Je ferme les yeux et j'essaie d'imaginer que je suis de nouveau dans notre rue bordée de maisons fraîchement repeintes : un camion de pompiers passe au loin, j'entends sa sirène ; j'entends les enfants qui crient en courant sur les pelouses, et Ted, le vendeur de glaces, qui chantonne : « *Ice-creams !* »… Je vais monter les marches du perron, papa et Léo seront en train de regarder un match de base-ball à la télé, maman préparera une tourte à la viande dans la cuisine, et…

Près de moi, un oiseau chante. J'ouvre les yeux. Ce n'est pas la peine de rêver, Zoé. Tout ça, c'est fini. La maison a été vendue à Mr et Mrs Moore, des voisins très gentils. Mais ils ont beau être gentils, ils vont la garder leur nouvelle maison. Ils ne te donneront pas les clefs en disant : « On s'en va, tu es chez toi ! »

Ici, je suis chez moi. Et je ne veux pas changer encore une fois de chambre, d'école, d'odeurs familières. Je veux rester. Je veux que Léo reste. Avec moi, avec nous.

Le soleil a disparu derrière une muraille dentelée de rochers noirs – on dirait la mâchoire d'un dinosaure. Tout à coup, il fait plus frais. Je devrais rentrer, m'installer sur un des grands canapés du salon avec un bouquin, en attendant le dîner. Ou

me planter devant la télé pour me changer les idées. Mais je suis inquiète pour Misty. Pourquoi a-t-elle quitté le terrier que Padou et Thomas lui avaient préparé ? Elle avait pourtant tout ce qu'il lui fallait : de l'eau, de la nourriture, des soins, une maison bien chauffée… Peut-être que ça ne lui plaisait pas, au fond. Peut-être qu'elle voulait choisir elle-même sa maison.

Comme Léo.

La nuit est presque tombée. J'ai exploré une nouvelle fois les abords de la ferme, mais je n'ai retrouvé ni Misty ni mon frère… car lui aussi semble avoir disparu sans laisser de traces. Je commence à avoir peur : s'il avait fait une fugue ? À cette idée, je me sens très mal. Il ne manquerait plus que ça ! Et s'il avait été enlevé ? Et s'il s'était perdu en battant les bois à la recherche de la marmotte ? Et si…

Je sens mes yeux se mouiller. Stop, Zoé, stop. Tu ne vas pas te transformer en fontaine. Ça ne servirait à rien. Tu vas réfléchir. Respire un bon coup…

Soudain, un mouvement m'alerte au pied de l'arbre-cabane. Il y a là un buisson très épais, avec beaucoup de petites feuilles vertes et luisantes : la cachette idéale. Comment n'y ai-je pas pensé plus

tôt ? Je viens de voir bouger quelque chose de clair
et Léo porte un T-shirt blanc...

    – Léo !

CHAPITRE 10

Pim, Pam, Poum...

À quatre pattes, je rampe sous les arbustes. Mon frère est bien là, à genoux, la tête au ras du sol.

– Tu es là ! Espèce de *bip* de *bip* de...

À l'école française, l'année dernière, la maîtresse nous avait demandé de dire « bip » chaque fois qu'on avait envie de lâcher un gros mot, pendant toute une journée. C'était très marrant : la cour ressemblait à une usine de robots détraqués. C'est fou ce qu'on a envie souvent d'en dire, des gros mots !

– Tu as pensé à maman ? Elle va s'inquiéter... Tu ne crois pas que tu pourrais...

Je suis furieuse contre lui, et pourtant j'ai envie de l'embrasser, tellement je suis soulagée.

Léo se retourne à demi et me fait signe d'approcher.

– Regarde, souffle-t-il.

Il me montre un grand trou noir, une sorte de petite grotte creusée dans la terre, entre les racines de l'arbre. Je me traîne jusqu'à lui, en m'écorchant les coudes. J'écarquille les yeux. Regarder ? Quoi ? Je ne vois rien. Rien qu'un vague reflet doré sur quelque chose qui ressemble à de la fourrure…

De la fourrure ? Misty !

– Oh !

Je mets ma main devant ma bouche. Tous roses, nus et aveugles, trois petits marmottons se pressent contre le ventre de leur mère, qui a l'air très satisfaite d'elle-même.

– On dirait… des souris ! De toutes petites souris !

– J'ai tout vu, chuchote Léo. C'était super. Quand ils sont nés, elle les a léchés l'un après l'autre… et ils se sont mis à téter tout de suite ! Je voulais attendre qu'ils aient fini pour rentrer vous prévenir, et puis… euh…

Je complète :

– Tu as oublié.

– Ben… oui, dit-il.

– Les enfants ! Vous êtes là ?

Les branches craquent : c'est Thomas. Il se glisse à côté de moi.

– Aïe, mon dos ! Ce n'est plus de mon âge, des acrobaties pareilles ! Mais j'ai vu deux pieds dépasser du buisson, alors la curiosité a été la plus

forte.

Il écarte de son front ses mèches rousses en désordre.

– Vous avez découvert un trésor, enterré il y a des siècles par les contrebandiers ?

– Mieux que ça, l'interrompt Léo.

– Oh, sapristi ! Misty ! Je me demande bien pourquoi elle est venue se fourrer dans ce trou… Normalement, une marmotte sur le point de mettre bas ne bouge pas plus qu'une bûche, ou presque. Mais tout a l'air de s'être passé au mieux, constate l'infirmier. Les petits doivent peser dans les trente grammes…

Je m'écrie :

– C'est tout ?

– Chut, fait Léo en fronçant les sourcils. Tu vas la déranger.

Maintenant, il regarde Misty en prenant des airs de propriétaire. Ça, c'est trop fort !

– Ils grossiront vite, dit Thomas. Dans un mois, ils auront multiplié leur poids par dix. Ils pourront commencer à croquer des pousses d'herbe fraîche… et dans deux mois, ils sauront siffler.

Tiens ! Je ne savais pas que les marmottes étaient musiciennes !

– Pas Frère Jacques, continue Thomas, le menton sur ses mains croisées, les yeux fixés sur Misty et ses petits. En fait, les marmottes ne sifflent pas vraiment : elles crient pour donner l'alerte, signaler aux autres occupants du terrier qu'un danger approche. Mais elles produisent des sons si aigus qu'ils ressemblent à un coup de sifflet.

Il se redresse, péniblement, sur un genou.

– Bon, maintenant, il faut qu'on la ramène dans son terrier trois étoiles… Il fait trop froid dehors pour des nouveaux-nés. Vous allez m'aider, les jeunes.

Je l'accompagne au refuge où nous préparons une grande caisse tapissée de paille fraîche.

– Un vrai carrosse pour une vraie princesse ! commente l'infirmier.

Léo est resté avec Misty. À plat ventre dans l'herbe, il contemple, béat, la petite famille.

– Aide-moi, Léo, dit Thomas quand nous

revenons près de l'arbre avec le « carrosse » de Misty. Je vais lui parler pour la rassurer et la mettre dans la caisse. Toi, tu prendras les petits un par un. Il ne faut pas qu'elle les perde trop longtemps de vue : elle s'affolerait. Zoé, tu nous éclaires ? propose-t-il en me tendant une grosse torche électrique. Attention à ne pas l'effrayer avec la lumière...

Une demi-heure plus tard, la marmotte et ses marmottons, bien installés, se remettent de leurs émotions. Et nous aussi ! Quelle journée ! J'ai l'impression d'être passée sous un tracteur !

– J'ai faim, déclare Léo tout à coup.

Mon frère est transformé. Rayonnant, le visage maculé de boue, il regarde Misty avec des yeux émerveillés.

Je glisse, perfide :

– Mamita avait promis qu'elle nous ferait des hamburgers... mais je croyais que tu avais décidé de ne pas en manger ?

– N'importe quoi ! s'écrie Léo. Je n'ai jamais dit

ça ! Tu délires, comme d'habitude...

J'hésite : je l'étrangle tout de suite, ou j'attends un peu ? Thomas, désireux de couper court à la dispute, lance :

– Au fait, il faut leur trouver des noms, à ces petits. Léo, comme tu as assisté à la naissance, tu seras leur parrain. Tu veux bien ?

La réponse fuse aussitôt :

– J'ai déjà pensé à des noms !

Je suis un peu jalouse. J'aurais bien aimé, moi aussi, être consultée. Mais Léo a l'air si heureux ! Je sens mon cœur fondre. Mon frère est un poison, mais je ne peux pas me passer de lui. C'est ça, le problème.

– Comme ils sont trois, on pourrait les appeler Pim, Pam et Poum, comme dans la B.D. américaine, dit Léo.

– Je connais, répond Thomas. Je lisais ça quand j'étais petit... il y a très longtemps !

Pim, Pam, Poum... Oui. Ça me plaît.

Nous sortons du hangar. Thomas referme la

porte avec soin, et nous remontons vers la maison. Je ne trébuche pas, cette fois, sur les premières marches de l'escalier : je connais le chemin.

– Tu sais, Thomas, dit Léo, quand je serai grand, je serai vétérinaire.

L'AUTEUR

Christine Féret-Fleury, quand elle était enfant, rêvait d'être vétérinaire, d'élever des chevaux et d'écrire. Une partie de ses rêves est devenue réalité, puisqu'elle se consacre aujourd'hui à l'écriture dans la campagne provençale, entourée de chevaux, de chiens et de chats. Elle a d'ailleurs fort à faire pour empêcher Chatouille-la-noiraude de se coucher sur son ordinateur… Et quand elle n'écrit pas, elle aime marcher dans les Alpes de Haute-Provence, du côté de la Haute-Combe…

L'ILLUSTRATEUR

Né en novembre 1955 à Rabat, au Maroc, Louis Alloing vit à présent en banlieue parisienne entouré de trois grands enfants. En 1980, il entame une carrière de directeur artistique d'agences de publicité. Depuis 1992, il vit de ses dessins, avec un sujet pour seul critère : l'amusement. Il s'y exerce enfant déjà, avec une passion particulière pour la bande dessinée. Pourquoi aime-t-il l'univers des enfants ? Pour sa poésie, sa capacité d'émerveillement, sa spontanéité.

DU MÊME AUTEUR

Le Petit Tamour (Castor Poche Benjamin)
Baisse pas les bras, papa ! (Castor Poche)
La Tour du silence (Castor Poche)

Les enquêtes de Calixte

(parues dans la collection Castor Poche)
Le Dormeur du Val
L'Apocalypse est pour demain
L'Assassin est sur son 31
Certains l'aiment froid

3500 ans avant notre ère, les aventures de Chaân,

(parues dans la collections des grands formats)
Chaân la rebelle
La Caverne des trois soleils
La Montagne du destin

TABLE DES MATIÈRES